Colección

Hilos Dorados

Dirección Editorial: Fabiana Nolla Portillo.
Diseño de colección: Florencia Tocci.
Edición: Javiera Gutiérrez.

Gerbera Ediciones

www.gerberaediciones.com.ar

Texto: María Angélica Pinochet. María José Olavarría Madariaga
Ilustraciones: María José Olavarría Madariaga.

Pinochet Brito, María Angélica
   Mi mundo / María Angélica Pinochet Brito y María José Olavarría Madariaga ; ilustrado por María José Olavarría Madariaga. - 1a ed. - Ciudad Autónoma de Buenos Aires : Gerbera Ediciones, 2014.
   32 p. : il. ; 20x20 cm.

   ISBN 978-987-29534-1-6

   1. Narrativa Infantil . 2. Cuentos. I. Olavarría Madariaga, María José II. Olavarría Madariaga, María José, ilus. III. Título
   CDD Ch863.928 2

Esta edición de 2.000 ejemplares se terminó de imprimir en Abril de 2014 en Gráfica Cartoon, Pcia. de Salta, Argentina.

A mi dulce primo Ignacio, por darme el
privilegio de entrar unos minutos, en su
magico mundo cuando estamos juntos.
Angélica

Mi Mundo

Para Faby, por confiar en mi nariz roja....
Para Angi , por permitirme mirar los ojos de su hijo.
Cotepinta.

En mi mundo, todo es perfecto,
son otros los que no entienden mi juego.
Cuando les hablo parece que nunca oyen lo que les cuento.

En mi mundo vivo tranquilo, río y me entretengo.
¿Quieres entrar? Sería un honor tu visita a mi reino.

Duendes y hadas juegan conmigo,
princesas y dragones se protegen en mi castillo.
—¡Me gusta que sean mis mejores amigos!

movimiento

circular

libres

Luna

Tierra

A veces, algunos me animan a salir,
pues creen que me encierro.
Es extraño: ¡yo creo lo mismo de ellos!

Y los invito a pasar,
pero parece que no saben las reglas de mi juego.

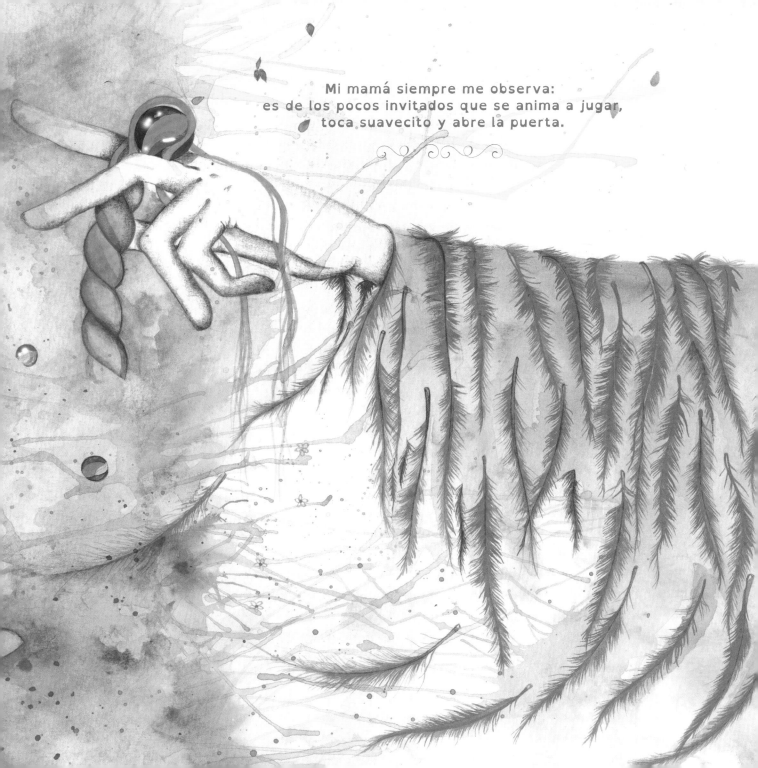

Mi mamá siempre me observa:
es de los pocos invitados que se anima a jugar,
toca suavecito y abre la puerta.

Ella es divertida, aunque a veces se pierde
en los pasillos revoltosos de mi castillo,
siempre encuentra el camino para estar conmigo.

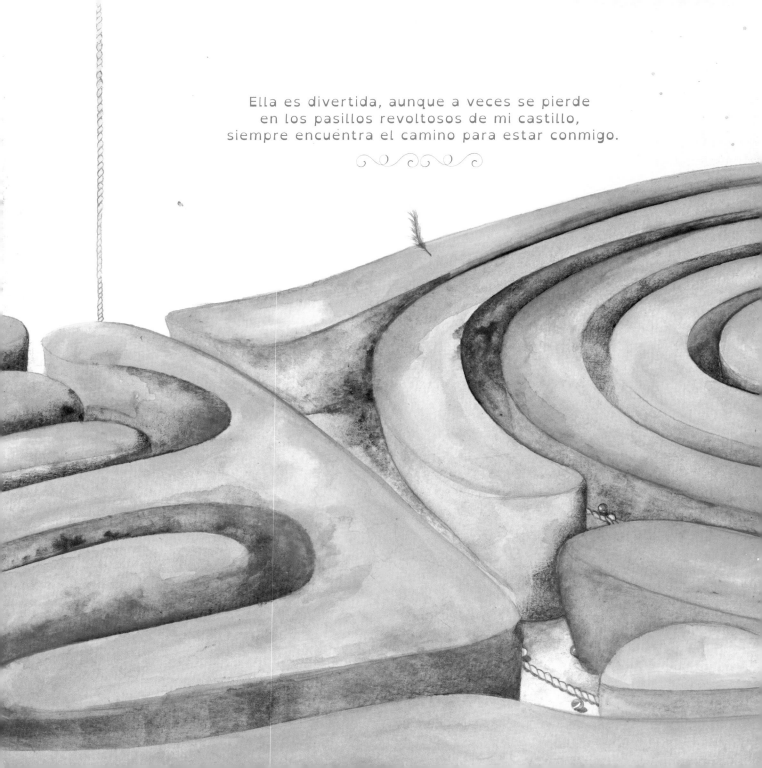